3 + 3 = 6

drei und drei sind sechs
three and three are six

4 + 3 = 7

vier und drei sind sieben
four and three are seven

4 + 4 = 8

vier und vier sind acht
four and four are eight

5 + 4 = 9

fünf und vier sind neun
five and four are nine

5 + 5 = 10

fünf und fünf sind zehn
five and five are ten

Richard Scarry

Wie man die englischen Zahlen und Wörter in diesem Buch ausspricht, mußt du dir von Vater oder Mutter oder von sonst jemandem, der Englisch kann, vorsagen lassen.

Zum 2. Geburtstag für Patricia
von Mutti u. Vati

8. Auflage 1992
Copyright © 1975 by Richard Scarry
All rights reserved. Die Originalausgabe erschien unter dem Titel
»Richard Scarry's best counting book ever« im Verlag
Random House, Inc., New York
Alle deutschen Rechte vorbehalten
© 1976 Delphin Verlag GmbH, Köln
Printed in Spain
ISBN 3.7735.4992.X

17.7.1992

Ich kann zählen

DEUTSCH
ENGLISCH

Deutsch von A. von Hill

Delphin Verlag

«Was soll ich bloß machen, es ist so langweilig», seufzt
Willi. «Ich habe niemanden zum Spielen.»
Papa schaut auf. «Weißt du was, Willi», sagt er. «Fang doch
an zu zählen. Zähl alles, was du siehst.»
Mama fügt hinzu: «Und wenn Papa heute abend heim-
kommt, kannst du ihm sagen, was du alles gezählt hast.»
«Au ja! Also los: Du bist eine Mutter.
Papa, du bist ein Vater, und ich bin ein Kind.»

1 eins one

ein Schreibtisch
one desk

Es klingelt. Susi steht vor der Tür.
Ein Hasenkind und ein Hasenkind sind zwei Hasenkinder.
Jedes hat zwei Hände, zwei Füße, zwei Augen und zwei
lange Ohren. Von der Seite sind natürlich manchmal nur
eine Hand oder ein Auge zu sehen.

2 zwei two

zwei Spiegeleier
two fried eggs

Susis Roller hat zwei Räder.
Mama hat für Papa zwei
Spiegeleier gebraten.
Auf dem Tisch steht ein
Salzfaß und ein Pfefferfaß, das
sind zwei Streuer. Was ist noch
zweimal zu sehen?

3 drei
three

drei Freunde
three friends

Susi und Willi laufen hinaus zum Spielen. Da kommt
Bruno um die Ecke gerast. «Ich habe euch schon gesucht!»
schreit er. «Wo wart ihr?»
«Brüll doch nicht so, wir zählen», sagt Willi. «Eins, zwei,
drei – jetzt sind wir zu dritt. Dein Dreirad hat drei Räder.»

«Und dort fahren drei Lieferwagen», ruft Susi.

drei Lieferwagenfahrer
three truck drivers

4 vier
four

vier Kinder
four children

Auf dem Spielplatz treffen die drei Freunde Eva.
Drei Kinder und ein Kind sind vier Kinder.
Eva hat vier Äpfel mitgebracht, für jeden einen.
Ihr Wagen hat vier Räder.

vier Mäusebusse
four mouse buses

Vier Busse fahren die Straße entlang.
Zwei sind rot und zwei sind gelb.

5 fünf five

Als auch noch Robert in seinem Gokart anrollt,
sind fünf Kinder auf dem Spielplatz. Vier waren
schon da, vier und eins sind fünf.

Zu fünft spielen sie zusammen, bis
vier Mütter rufen. Vier Hasenkinder laufen nach Hause. Fünf
weniger vier ist eins.
Ein Hasenkind bleibt allein zurück.
Es ist Willi, der nun in Ruhe
weiterzählt.
Fünf Mäuse in fünf Rennwagen
sausen vorbei.

eins zwei drei vier fünf Rennautos
one two three four five racing cars

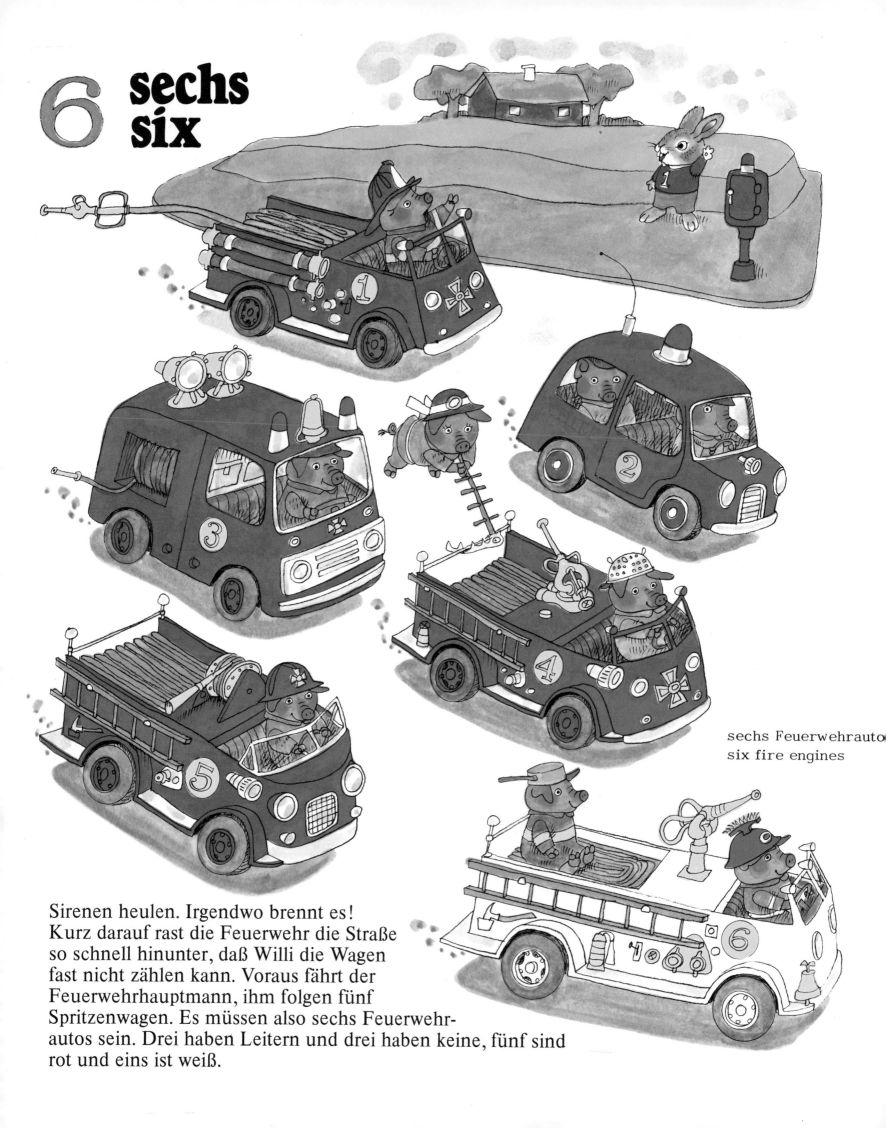

6 sechs
six

sechs Feuerwehrautos
six fire engines

Sirenen heulen. Irgendwo brennt es!
Kurz darauf rast die Feuerwehr die Straße
so schnell hinunter, daß Willi die Wagen
fast nicht zählen kann. Voraus fährt der
Feuerwehrhauptmann, ihm folgen fünf
Spritzenwagen. Es müssen also sechs Feuerwehrautos sein. Drei haben Leitern und drei haben keine, fünf sind
rot und eins ist weiß.

7 sieben
seven

sieben rote Eimer
seven red pails

Aus dem Bauernhaus quillt Rauch.
Mit dem Baby auf dem Arm stürzt Frau Katz hinter
ihren fünf Kindern aus der Tür.
Sieben Katzen schreien laut um Hilfe.
Zum Glück ist die Feuerwehr gleich da.

8 acht
eight

Die Feuerwehrmänner haben den Brand rasch gefunden. Zischend löscht der Wasserstrahl die Flammen im Backofen von Frau Katz. Dabei werden ihre acht Kuchen aus dem Ofenloch gespritzt. Drei Kuchen könnte man noch essen, fünf sind verbrannt.
Willi zählt die Stühle um den Tisch.

acht Stühle
eight chairs

9 neun
nine

neun Feuerwehrleute
nine firemen

Das Löschwasser fließt durch die Küche. Frau Katz ist verzweifelt. Erst der Brand, dann die verdorbenen Kuchen und jetzt auch das noch!
Aber die Feuerwehr hilft auch hier. Schon sind fünf rote, zwei grüne und zwei gelbe Wischer zur Hand. Mit neun Wischern wird das ganze Wasser aufgewischt.

10 zehn
ten

Bauer Katz kommt vom Feld. Er hat Wassermelonen geerntet und will den Korb zur
Scheune tragen. Dabei stolpert er. Die Hälfte
der Ernte fliegt hoch durch die Luft.

zehn grüne Wassermelonen
ten green watermelons

Zehn Melonen lagen im Korb, jetzt sind es nur
noch fünf. Wer fängt die sechste, die siebente,
die achte, die neunte Wassermelone? Und wird
die zehnte am Boden zerplatzen, oder wird
Frau Katz sie auffangen können?

Das kann Willi bis jetzt alles schon zählen.

1
ein Willi
one Willi

2
zwei Häschen
two bunnies

3
drei Freunde und drei Lieferwagen
three friends and three trucks

4
vier Kinder und vier Busse
four children and four buses

5
fünf Freunde und fünf Rennwagen
five friends and five racing cars

6
sechs Feuerwehrautos
six fire engines

7

sieben Katzen
seven cats

8

acht Kuchen
eight pies

9

neun Feuerwehrleute und neun Wischer
nine firemen and nine mops

10

zehn Wassermelonen
ten watermelons

Frau Katz hat die zehnte aufgefangen!

11 elf eleven

Willi ist noch nicht zufrieden. «Es gibt doch noch höhere Zahlen», denkt er. «Ich will mal sehen, ob ich hier auf dem Hof irgend etwas zu zählen finde.»

12 zwölf twelve

Herr Katz geht in den Hühnerstall, um die Eier einzusammeln. Er stolpert schon wieder und erschreckt seine zwölf Hennen, die gackernd davonstieben.

Fünf Hennen sind braun.
Five hens are brown.

elf Hemden
eleven shirts

Frau Katz hat gewaschen und will die Wäsche auf die Leine hängen. Aber der Wind reißt fünf blaue und fünf gelbe Hemden mit sich fort. Ein rotes Hemd kann sie gerade noch festhalten, sonst wären elf Hemden davongeflogen.

zwölf Hennen
twelve hens

Fünf von ihnen sind weiß.
Five of them are white.

Und zwei Hennen sind schwarz.
And two hens are black.

Wenn von zwölf Hennen jede ein Ei legt, liegen zwölf Eier in den Nestern – ein Dutzend. Stimmt es?

13 dreizehn thirteen

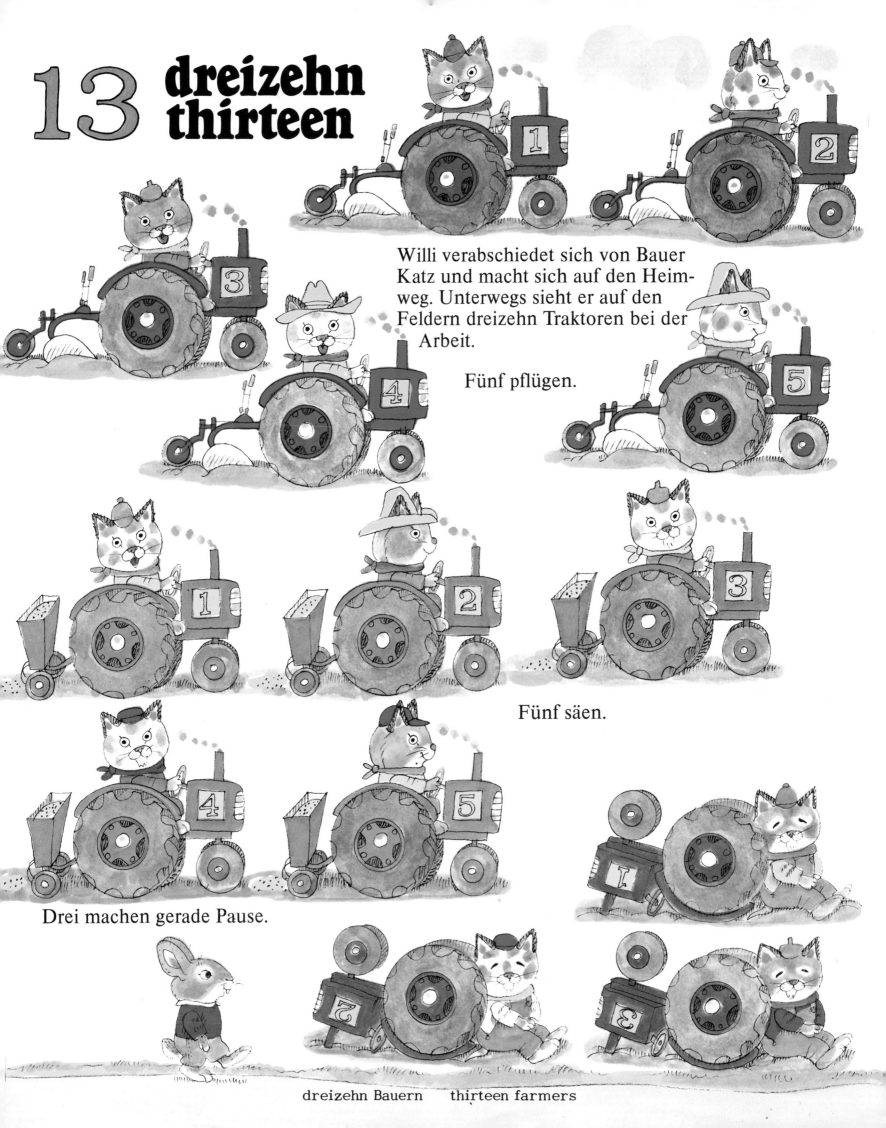

Willi verabschiedet sich von Bauer Katz und macht sich auf den Heimweg. Unterwegs sieht er auf den Feldern dreizehn Traktoren bei der Arbeit.

Fünf pflügen.

Fünf säen.

Drei machen gerade Pause.

dreizehn Bauern   thirteen farmers

14 vierzehn fourteen

Willi trifft vierzehn Wanderer, die sich zur Rast am Wegrand niedergelassen haben.

Fünf schlafen im Straßengraben.

Fünf essen.

Vier spielen Karten. Das Spiel scheint aber schon zu Ende zu sein!

vierzehn Wanderer
fourteen travellers

15 fünfzehn fifteen

Eine Musikkapelle zieht vorüber.
Willi zählt. Es sind fünfzehn
Musikanten.

Fünf spielen Tuba.

16 sechzehn sixteen

Am Güterbahnhof zählt Willi natürlich alle
Waggons. Der lange Zug auf dem Abstellgleis
hat sechzehn Güterwagen.

Wie viele geschlossene Güterwagen sind es?

Wie viele offene, mit Kohlen beladene Wagen?

Fünf blasen die Trompete.

Vier trommeln und einer haut auf die Pauke.

fünfzehn Musikanten
fifteen musicians

sechzehn Waggons
sixteen wagons

Wie viele Tankwagen?

Am Ende ist ein
Bremswagen angehängt.

Eine kleine Loko-
motive rollt heran.
Ob sie es schafft,
den langen Zug
wegzuziehen?

17 siebzehn
seventeen

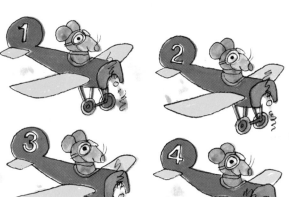

Der Himmel dröhnt. Willi schaut auf.
Siebzehn Flieger donnern heran.
Er muß ganz schnell zählen.

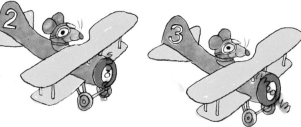

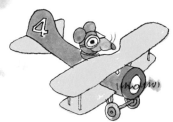

Fünf Eindecker,

fünf Doppeldecker,

18 achtzehn eighteen

Langsam gleitet ein langer, gelber Omnibus vorüber.
Willi kann in aller Ruhe zählen und sich dabei
noch die schönen Hüte anschauen.

siebzehn Flugzeuge
seventeen airplanes

fünf Dreidecker und zwei Düsenjäger voraus. Whummm!

achtzehn Löwen
eighteen lions

Vorne haben fünf Löwenherren Platz genommen, in der Mitte fünf Löwendamen, und hinten sitzen fünf Löwenmädchen und drei Löwenjungen. Im ganzen sind es achtzehn Löwen, die spazierenfahren.

19 neunzehn nineteen

Neunzehn Schweinchen haben sich zum Picknick niedergelassen.

20 zwanzig twenty

Zwanzig Katzen spielen Fußball. Jede Mannschaft hat zehn Spieler.

Willi staunt. So eine lange Wurst!
Ob sie aber reicht für neunzehn
hungrige Schweinchen?

neunzehn Esser
nineteen eaters

zwanzig Spieler
twenty players

Tor! Der Ball ist im Netz!
Wer war der Schütze?

30 dreißig
thirty

Die Schule ist aus.
Willi zählt sechs Schulbusse.
In jedem Bus sitzen fünf Kinder,
das sind zusammen dreißig Schulkinder.
Die Busfahrer hat Willi nicht mitgezählt.
Wie viele Fahrer sind es denn?

dreissig Schüler
thirty pupils

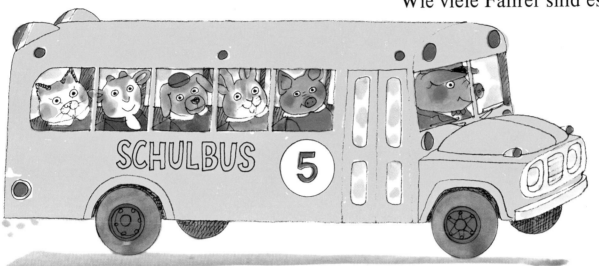

40 vierzig forty

Vierzig Minimäuseautos haben Motorschaden und müssen mit vier Autotransportern in die Reparaturwerkstätte gebracht werden.
Wie steinig und holprig die Straße ist!

vierzig Autos   forty cars

50 fünfzig
fifty

Am Hafen unten sieht Willi
fünfzig Schiffe auf dem Wasser.

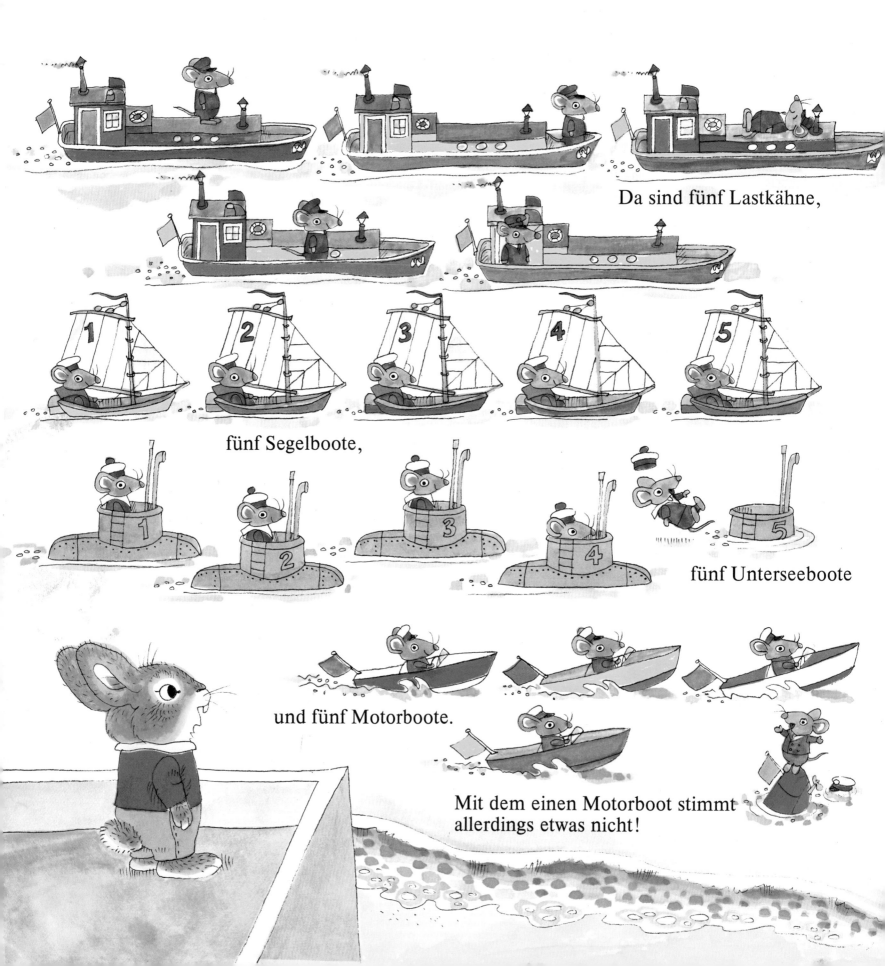

Da sind fünf Lastkähne,

fünf Segelboote,

fünf Unterseeboote

und fünf Motorboote.

Mit dem einen Motorboot stimmt
allerdings etwas nicht!

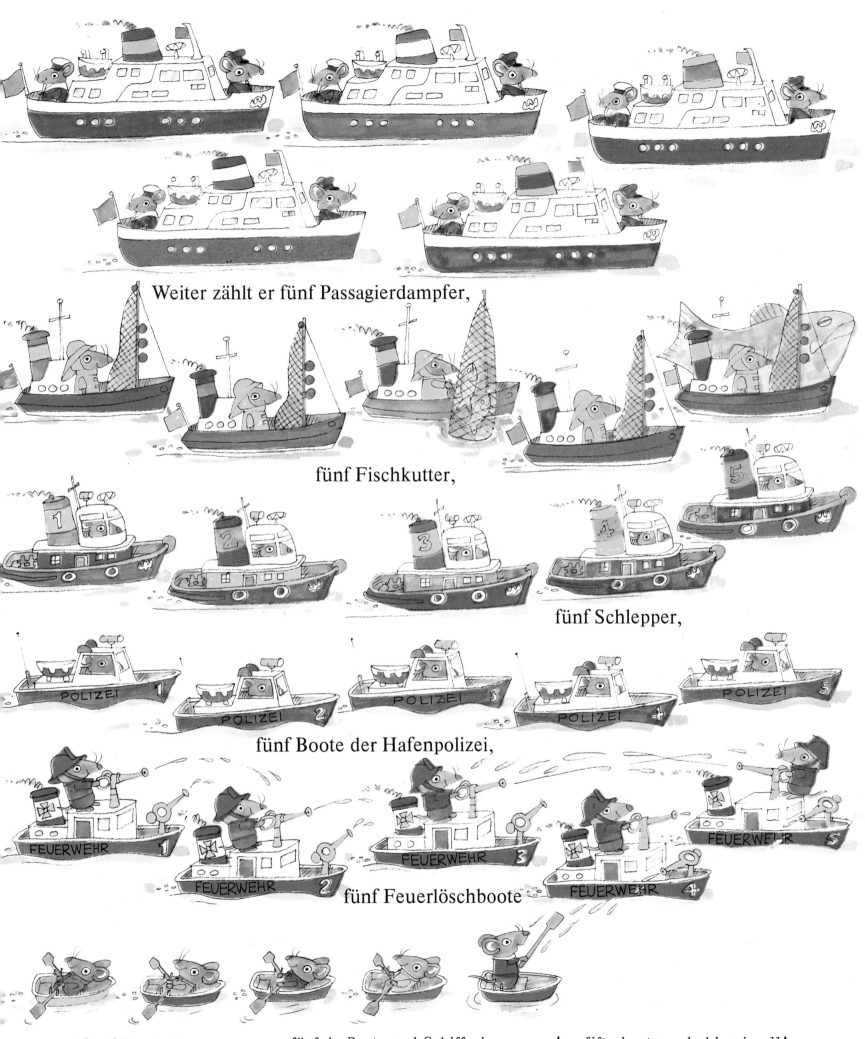

Weiter zählt er fünf Passagierdampfer,

fünf Fischkutter,

fünf Schlepper,

fünf Boote der Hafenpolizei,

fünf Feuerlöschboote

und fünf Ruderboote.　　　fünfzig Boote und Schiffe im ganzen!　　fifty boats and ships in all!

60 sechzig sixty

Ein Stück abseits vom Hafen vergnügt sich eine Menge Frösche im Wasser und am Strand. Mutig beginnt Willi zu zählen. Dreimal muß er wieder anfangen, dann hat er es endlich: Es sind sechzig Frösche.

sechzig Frösche
sixty frogs

Es ist schon Nachmittag, als Willi
an Käfers Gärtnerei vorbei-
kommt. Gärtner Käfer erlaubt
ihm, eine Blume für die Mutter
abzupflücken.
Dafür zählt Willi dem Gärtner
rasch die Blumen durch. Es sind
siebzig Blüten.

Stiefmütterchen

Finger-kraut

Margeriten

Tulpen

Krokus

Osterglocken

Korn-
blumen

Anemonen

Sonnen-
blumen

Nelken

Sommer-
chrysanthemen

Enzian

Veilchen

Rosen

siebzig Blumen   seventy flowers

80 achtzig eighty

Feierabend! Achtzig Arbeiter machen sich auf
den Heimweg. Einige gehen zu Fuß, andere
fahren.
Und schon ist auch Papa von der Arbeit nach
Hause gekommen. Willi läuft ihm entgegen.

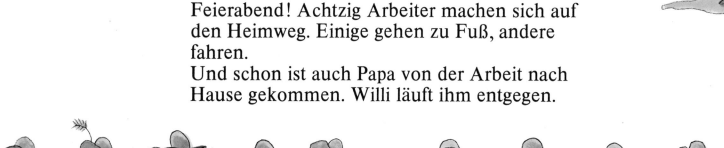

WOTANS WÜRSTCHENWAGEN

achtzig Arbeiter
eighty workers

90 neunzig ninety

Das Abendbrot ist schon fertig, es gibt Papas und
Willis Lieblingsessen. Wie viele Karotten Mama
heute abend bloß aufgetischt hat!
Willi zählt schnell mal: neunzig.
Dann fangen sie an zu essen, und Willi berichtet,
was es heute alles zu zählen gab.

neunzig Karotten
ninety carrots

100 einhundert one hundred

Nach dem Nachtessen gehen Papa und Willi noch einmal vors Haus. Willi zählt die Glühwürmchen, die durch die Nacht schwirren. Es sind einhundert, und fast sieht es so aus, als ob die Glühwürmchen auch bis hundert zählen könnten! Aber du kannst es jetzt bestimmt!

einhundert Glühwürmchen
one hundred fireflies

Willi Hase will zählen lernen. Er will auch gleich englisch zählen lernen. Mama und Papa Hase helfen ihm dabei. Willst du es nicht auch versuchen und mit ihm lernen? Am Ende des Buches kannst du dann sogar schon ein bißchen rechnen. Auch auf englisch!

1 + 1 = 2

eins und eins sind zwei
one and one are two

2 + 1 = 3

zwei und eins sind drei
two and one are three

2 + 2 = 4

zwei und zwei sind vier
two and two are four

3 + 2 = 5

drei und zwei sind fünf
three and two are five